开心球

俄罗斯聪明玛莎出版社
北京开心球动漫技术有限公司

害怕看牙医

赵力 译

害怕医生？那就无法吃胡萝卜！

中国人民大学出版社
· 北京 ·

人物介绍

兔小跳

喜欢运动和探险，爱吃胡萝卜

一只淘气、多嘴的兔子。活泼好动，充满活力，是个乐天派，和猬小弟是最好的朋友。

猬小弟

喜欢收藏各种东西，喜欢看书

善良、有礼貌、乐于助人、有一点点害羞。这只小刺猬总是不慌不忙，外表很温柔，内心很勇敢。

朱小美

爱漂亮，喜欢幻想，喜欢收礼物

可爱迷人的女孩，爱吃甜食，微胖界美女。经常鼓舞其他开心球去完成重要的事情，喜欢得到赞美。

羊诗弟

喜欢文学、诗歌和艺术

非常敏感、容易受伤，开心球中的著名诗人。一直在寻找灵感，散发着忧郁而浪漫的诗人气息。

鹿教授

热爱科学、读书和美食

很有才华的科学家，生活中有点儿笨手笨脚。对待任何问题，他都会在自己的藏书中寻找科学的答案。

喜欢烹饪，关心大家的健康

乐于助人、充满爱心的奶奶。随时带着医药箱，经常给别人看病，倡导健康的生活方式，严厉但很公平。

喜欢旅行，热爱戏剧和音乐

年长的绅士，伟大的旅行家。是个讲故事的能手，有艺术家气质，有一点儿爱吹牛。

喜欢种植，爱吃蜂蜜

温顺憨厚，不善言谈，整天都在地里干农活：耕地、除草、灭虫……他种的蔬菜长得非常快！

热爱发明，擅长机械，敢于冒险

自学成才的发明家，能将一堆金属碎片变成神奇的机器。喜欢开飞机，经常冒出奇怪的想法。

聪明绝顶，喜欢探索太空

平博士创造出来的机器人，拥有超强的学习能力，不会说话，但可以发出电脑声波传达信息。

周一的早晨，兔小跳并没有预感到将有什么坏事发生。这是胡萝卜节的第一天，也是一年当中最美味的一天。

跳下床之后，兔小跳第一件事就是跑到镜子前面欣赏他的牙齿。是的，还用说吗，在牙齿这方面他很幸运，整齐、结实——那简直就不是牙齿，而是专门用来欣赏的艺术品。

兔小跳匆忙地开始对着镜子刷牙，却突然大惊失色。有一颗门牙好像有点儿不对劲——兔小跳用舌头碰了碰它，牙齿松动了！

从这个时刻开始，兔小跳的生活就变成了噩梦。

兔小跳焦虑地在房间里走来走去，现在他该如何吃新鲜的胡萝卜呢？他急需帮助！

于是几分钟后，他已经像子弹一样飞到了平博士家。你可能会问，他为什么不去找牙医巧老师呢？嘘——当着兔小跳的面不要提牙医，他像怕瘟疫一样地怕他们。而平博士和牙医是完全不同的做法。平博士可以修复任何东西，当然也应该包括牙齿。

检查了一番后，平博士得出的结论是：“牙齿在晃动，很快就会掉。”

“你不要担心！”猬小弟对兔小跳说。

因为害怕，兔小跳已经摇摇晃晃地站不稳了，耳朵也哀怨地低垂着，显得无精打采。

“要不然，去找巧老师试试吧。”猬小弟试着安抚朋友，“她知道如何治疗牙齿。”

“不要！”兔小跳哽咽着说，“我想想还能做些什么。”

有的时候因为恐惧反而会产生一些大胆的想法。

“如果我倒立着，脚冲上面，这样牙齿向下掉，正好就可以长回去了！”

猬小弟怀疑地摇摇头，但平博士却对这个想法很感兴趣。

兔小跳已经把他的想法付诸了行动：他跳起来，在空中翻了个跟头，用耳朵撑着地面。

用耳朵散步起初可不是那么舒服的，不过兔小跳很快就适应了，甚至还可以小跑起来。

兔小跳飞了起来——突然他的右耳朵掉进了一个沙坑里，失去平衡，鼻子撞到了沙滩上。猬小弟赶紧跑过去问道：“兔小跳，你还好吧？”

“没问题，我很好！很快所有人都会用耳朵走路啦！”说完兔小跳咧嘴笑了。朋友的微笑却令猬小弟心都凉了，因为兔小跳嘴里那颗最重要的门牙不见了。

“你的牙，”猬小弟小声地发出了颤抖的声音，“它掉了……”

兔小跳一下子僵住了，吃胡萝卜瞬间成了不可能的事情。

“好吧，”平博士喃喃自语道，“让我再想想。”便跑进了他的工作间里。

很快，平博士回来了，翅膀下夹着一个黄色的旅行箱。他从旅行箱里拿出一个巨大的假牙，看上去非常像剑齿虎的獠牙。

“来，戴上它。”

兔小跳无可奈何地把假牙戴上，然后说了一句“必需的”，声音响亮，还能听出牙齿和硬物碰撞的咔哒声。

这让平博士和猬小弟有点儿被吓到了。他们突然觉得，兔小跳改变的不仅仅是牙齿，还有别的一些东西。往日那个鲁莽但开心的朋友不见了，在沙滩上出现的是一个长着大獠牙、眼睛闪烁着猛兽般光芒的陌生人。

平博士和猬小弟开始慢慢地向后退去。

兔小跳却很喜欢他的新牙齿。他觉得朋友们看他的眼光变得很特别，好像带着尊敬。因为高兴，他不由自主地想用假牙咔哒咔哒地制造出一些欢快的曲调。

猬小弟却把眼睛瞪得像两个大大的碟子，一边后退着一边喃喃说道：“我得走了。”说完他就跳上了停在岸边的竹筏，离开了。

兔小跳不解地看了眼平博士。平博士浑身颤抖了一下，跑向前，跳上了升降机，然后他立即关上铁门，也离开了。

沙滩一下子就变得空荡荡的，兔小跳顿时慌了。

接下来的一整天都是兔小跳独自度过的，没有人愿意和他交谈。天黑了，兔小跳也累了，他要回家。但是夜幕的降临让兔小跳显得更可怕了。

因为害怕遇见朋友，兔小跳躲在树后面走着。他现在的样子谁会喜欢呢？但倒霉的是，就在这会儿，他遇到了从灌木丛中出来的朱小美。

兔小跳赶紧藏到一棵大树后面，希望她没有注意到自己，但朱小美已经看到他的身影了。

“谁在树后面？”她好奇地问道，“是你吗，兔小跳？”

兔小跳紧紧地靠在树后面屏住呼吸，没有回答。但朱小美没有放弃。

“你们在玩捉迷藏的游戏吗？又不带我玩！”朱小美的声音有点愤怒，“出来，要不然我就生气啦!”

兔小跳只好从树后面出来了，露出腼腆的微笑。看到兔小跳的笑容，朱小美尖叫起来：“难道你要吃了我，大耳朵吸血鬼!”然后她撒腿拼命地跑开了。

又剩下兔小跳一个人了。蓝色的小兔子在大大的黑色森林里——再也没有比这更坏的了，他抬起头来发出狼一般的叫声。

半小时后，他明白必须去看牙医了，现在只有巧老师可以帮助他。吐出了假牙，兔小跳走向了巧老师家。巧老师让他坐在治疗椅上，张开嘴。兔小跳叹了口气，服从了命令。

“你不应该这么晚才来！”巧老师责怪地说，“这种情况下是不能耽搁的！”

配 方

这时巧老师打开放工具的柜子：针、刀、钳和钻……工具这么多，兔小跳惊讶得甚至忘记了害怕。巧老师从柜子里抽出一个带着细柄的反光镜，然后“砰”的一声关上了柜子门，转身对着兔小跳说：“病人，张开嘴！”兔小跳摇摇头。

“你又开始害怕了？”

听到这句话，兔小跳有些害羞，他闭上眼睛，使劲地张大嘴。

“好样的！我很快！就是看看！”医生阿姨露出了微笑。

每一颗牙巧老师都看得非常仔细，她一边唱着歌，一边转动手里的小反光镜。突然，歌声中断，巧老师大呼道：“哦，我看到了什么？”

兔小跳这一天都被吓了有一百次了——巧老师能在他嘴里看到什么呢？难道又发现了一颗摇晃的牙？兔小跳开始难过起来。

“你一定是被吓坏了！”巧老师神秘兮兮地看着兔小跳，然后说了一句让兔小跳非常意外的话：“你的牙齿，绝对没有问题！”

樱桃果酱

兔小跳有点儿不敢相信自己的耳朵，“可我的牙掉了呀……”兔小跳轻轻地提醒她。

“你掉的只不过是一颗乳牙，现在在它的位置上长出了恒牙。我给你些药水，你每天用它漱口三次，过些时候疼痛就会过去了。”

兔小跳愣在那里，害怕惊走自己的幸福。他惊讶地瞪圆了眼睛，然后咧嘴笑了。

感谢巧老师后，他快步跑向自己的房子，想快快刷完牙后安稳地睡一觉。对他来说，明天是美好的一天，是不会再惧怕牙医的一天。

开心球词典

爱惜：保存一些需要的东西，尽量不要丢失。爱惜时间，所有的事情都要按时完成。也可以爱惜大自然、友情。但最重要的是，要爱惜健康。比如，为了保护牙齿要拒绝多吃糖果。或者，反过来，为了吃糖果要爱惜牙齿，这样才可以一直吃糖果吃到老。

恐惧：就是害怕某些东西：黑暗、高、疾病或者狗……如果你害怕很多东西，就表示你是个胆小鬼，一点儿勇气都没有。但有时，有点儿害怕是对的，比如，红灯的时候过马路很危险，一定要小心。

医生：一个能治愈疾病的人，因为他研究疾病很久了，关于疾病的知识他知道很多。如果你生病了，一定要去看医生，他检查后会弄明白你得了什么病，并指出应该如何治疗。开好处方后，从药店可以拿药。你喝了药后，病就好了。

牙齿： 坚硬的、白色的，生长在嘴巴里。孩子们小的时候长的是乳牙，之后它们会脱落，年龄大一些时，长出恒牙。牙齿是为了咬东西和咀嚼，因此，需要爱惜和保护牙齿，使它们更强大，以便长久地咀嚼美味。

工具： 在工作中能够帮助我们的物体。比如，要做个板凳，需要锤子和锯；演奏美妙的旋律需要钢琴或者其他乐器。工具是非常有用的。最主要的是，你要知道需要什么，然后开始做板凳或者演奏。

治疗： 把病人变为健康的人，对于每一个患者来说，有适合自己的治疗方法，对于每次治疗，要用适合自己的药。如果你不喜欢药的味道——那么不要生病！若想让自己的身体健康，就要加强锻炼。这样，医生的工作量也会变小。

手工制作：

1. 将小塑料瓶靠近底部的一半切下来。
2. 从侧面开始为杯子涂满白色黏土。白色——皇家真正的颜色。
3. 取一些贝壳状的通心粉，把它们粘在杯子的侧面。

皇家御用牙刷

4. 用漂亮的指甲油或者染头发的染色剂将整个杯子上的贝壳涂上漂亮颜色。
5. 把自己的牙刷放到这个皇家御用杯里，还有不要忘了放皇家御用牙膏。

图书在版编目（CIP）数据

害怕看牙医/俄罗斯聪明玛莎出版社，北京开心球动漫技术有限公司编著；赵力译．—北京：中国人民大学出版社，2014.12

（开心球）

ISBN 978-7-300-19976-4

Ⅰ．①害…　Ⅱ．①俄…　②北…　③赵…　Ⅲ．①儿童文学－图画故事－俄罗斯－现代　Ⅳ．①I512.85

中国版本图书馆CIP数据核字（2014）第313672号

俄罗斯原版图书由A.马利根诺娃，I.波波夫，A.普罗霍罗，S.沙伊西努洛夫，I.舍甫丘克等编创。

绿色印刷　保护环境　爱护健康

亲爱的读者朋友：

本书已入选“北京市绿色印刷工程——优秀出版物绿色印刷示范项目”。它采用绿色印刷标准印制，在封底印有“绿色印刷产品”标志。

按照国家环境标准（HJ2503-2011）《环境标志产品技术要求　印刷　第一部分：平版印刷》，本书选用环保型纸张、油墨、胶水等原辅材料，生产过程注重节能减排，印刷产品符合人体健康要求。

选择绿色印刷图书，畅享环保健康阅读！

北京市绿色印刷工程

开心球

害怕看牙医

俄罗斯聪明玛莎出版社　北京开心球动漫技术有限公司　编著

赵　力　译

Haipa Kan Yayi

出版发行	中国人民大学出版社		
社　　址	北京中关村大街31号	**邮政编码**	100080
电　　话	010－62511242（总编室）		010－62511770（质管部）
	010－82501766（邮购部）		010－62514148（门市部）
	010－62515195（发行公司）		010－62515275（盗版举报）
网　　址	http://www.crup.com.cn		
	http://www.ttrent.com（人大教研网）		
经　　销	新华书店		
印　　刷	北京尚唐印刷包装有限公司		
规　　格	210mm×236mm　16开本	**版　　次**	2015年3月第1版
印　　张	2　插1	**印　　次**	2015年3月第1次印刷
字　　数	5 000	**定　　价**	15.00元